위험한 편의점

945 Presents	The Dangerous Convenience Store

blackD

Contents

Chapter

01

편의점 알바 한 달 차.

이 편의점에는 무서운 손님들이 많이 온다는 사실을 깨달았다.

흔히들 생각하는 편의점 진상들에 대한 이야기가 아니다.

여기는

조폭들이 자주 찾는 편의점이다.

호달달…

이보오, 형씨. 이게 무슨 경우요?

가격이 싸가지가 없는데?

그만큼 사셨어요….

아니 청년! 눈치가 없소!!

버 럭!

나가 돈을 덜 들고 왔으니깐

쪽끔 깎아달라는 거 아녀!!

아아아…

조폭들이 유난히 많이 사는 동네라 이런 사람들이 하루에도 수십 명…

이럴 때면,

사람이…

있

꽈

당…

었으면 했는데….

화끈

…으어어.

으아아아아아아
두고보자아아아!!

딸랑~

탁!

계산.

와.

정말 있었다.

내가 원하던
단 한 명의

정의로운
사람…!!!!

저 새끼처럼
맞기 싫으면
퍼뜩 계산해라.

ㄴ, 네,
잠시만요,
계산해
드릴게요….

성질이
남다를
뿐이었어…!

삼만팔천 원
입니다.

......

잘생겼네.

…예?

배우나 뭐…
아이돌 지망생.

그런 거
하나?

아, 아뇨.
그럴 리가요.

그치만…

빈말로라도 그런 말을 해주시다니 왠지 부끄럽고 기쁘네요.

담배도 하나. ○○ ○○로.

…네….

이 사람은… 그냥 하고 싶은 말을 하는 것뿐이구나….

쪽팔려…

……

지앙

알바생?

대학생처럼
보이는데.
고생이 많네.

공부에
방해는 안 되나?

아….

뭐지?
걱정해주는
건가?

밤 열한 시부터
일곱 시까지만 해요.
학교 다닐 때는
주말에 몰아 자면
꽤 괜찮아...

어 왜.

뭐?

그런 것도
알아서 못 해?

이 빡대가리
새끼들이…

멀뚱…

꽈악!

또 속았어…!!!

……

오래
걸리려나.

…응?

나도 몰래
핸드폰이나 하고
있어야겠다.

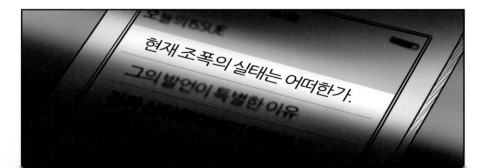

현재 조폭의 실태는 어떠한가.

그의 발언이 특별한 이유

조폭들은 다양한 방법으로
우리 주변에 침투해 있고,
선량한 사람들의
주머니를 털어간다.

그렇기 때문에 그들의 폭력성이
가시화되지 않은 것처럼
보일 수 있다.

쿵...

하지만,

기업화조차
되지 않은 조폭들은
더욱 잔인해졌다.

쿵...

그들은 여전히 원시적인 방법으로
손가락을 자르고, 연장을 들이대며 싸운다.

실제로도 최근에
어떤 한 작은 조직은
막내들의 기강을 잡겠다며

그래서.
때렸다는 거야,
찔렸다는 거야?

쿵…

막내 관리
똑바로 안 해?
진짜 어디 하나 잘려봐야
정신을 차리나.

조직원의 손가락을
자르는 바람에, 다량의
끊어진 손가락이
경찰에 신고된 바가 있다….

끊어
새끼야.

섬뜩

쿠쿵—!

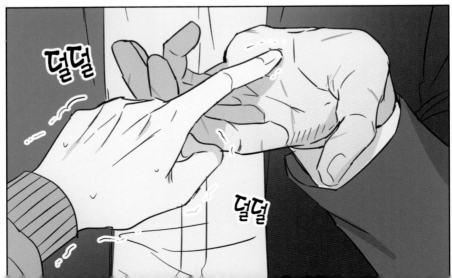

……

미…

……

……

아-!!!!!

미쳤다ー!!!

죄, 죄송합니다!

그, 그게 그러니까

횡설

제가 그만

큰 착각을…

수설

……

23

하…!

생각보단…
상식적인
사람이었잖아?

그래, 아무리 그래도
그렇게까지 막 나가는
양아치는 아니겠지…

내가 너무
오버했어…

벌써 며칠째,

그는 하루도 빠짐없이
내가 일하는
타임에 왔다.

○○ ○○ 하나.

사는 품목은
항상 같았다.

술, 담배.

그 외의 것들은
건드리지도 않는다.

그런 그가
유일하게 찾은
다른 물건

…특대형
콘돔.

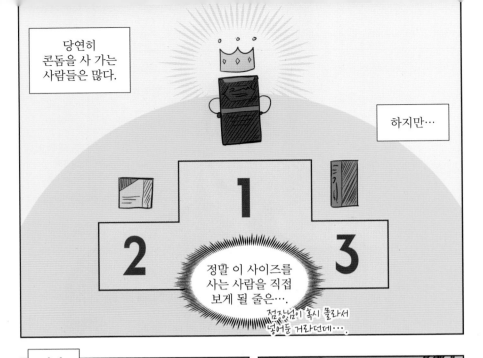

당연히
콘돔을 사 가는
사람들은 많다.

하지만…

정말 이 사이즈를
사는 사람을 직접
보게 될 줄은….

점장님이 혹시 몰라서
넣어둔 거라던데….

하긴.

이 사람…
키도 엄청 크고,
덩치도 크고.

손도 크니까

거기도 당연히…

야.

헛!

계산
안 하니.

불쑥

아, 그게요!

미쳤어! 내가 무슨 망상을… 빨리 아무 변명이나 하자!

손님은 항상 술이나 담배를 사시잖아요!

그래서 오늘은… 이것만 사시나 해서…

헤헤…

하아 아

…어. 그것만 살 건데.

으아아악 화낸다!!! 화낼 것 같아!!!

XXXX원 입니다!

귀청 떨어져요. 작게 말하세요.

넵줘!

넵!!!!

안녕히 가세요!!!

딸랑~

휴

뭔가

수많은
조폭들이 오는
편의점인데

하아

유난히
저 사람한테
엄청 쩔쩔매게 된단
말이지….

뭔가 남다르다고
해야 하나….

여의준 학생!

딸랑~

아.

점장님 오셨어요!

그래그래, 오늘도 고생 많았어요.

의준 학생도 얼른 집에 가야지.

오늘도 이상한 손님들밖에 없었나요?

이젠 뭐 익숙해요!

아이고 정말…

의준 학생 없었으면 큰일 날 뻔했어요.

하아…

조폭손님들 때문에 알바생을 구하기 힘들어서….

에이, 그래도 그만큼 급여도 많이 주시잖아요.

받은 만큼 더 열심히 해야죠!

무려 1.2배!

정말… 의준 학생이 싹싹해서 그런지 손님들이 요즘 깽판을 잘 안 치더라구…

마음 같아서는 돈 더 주고 평생 잡아두고 싶어요~

헤헤 더 주셔도 되는데

얼른 집에 가요 의준 학생~^^

…네!

아침에 들어오는 게 익숙해지긴 했지만 그래도 피곤하다….

들어가자마자 씻고 뻗어야지.

후우...

아... 조금
살 것 같다....

...그런데

왜일까.

이 피곤한
와중에도

쾅!

'그' 남자와
'그' 콘돔이 자꾸
떠오르는 이유는.

아무리 오랫동안 못 했다고 해도 그렇지…

이름도 모르는 사람이 콘돔 사는 게 그리 흥분할 일이냐고…!

그렇다.

난 게이다.

하아….

더군다나

짝사랑하는 남자애도 있다.

그렇지만.

큰 걸
좋아하는 건
나쁜 게 아냐!!

그건 그거고
이건 이거라고!

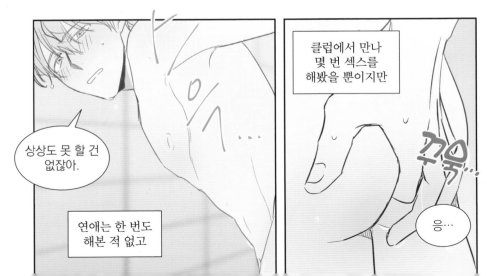

클럽에서 만나
몇 번 섹스를
해봤을 뿐이지만

상상도 못 할 건
없잖아.

이ㅅ....

연애는 한 번도
해본 적 없고

응...

무뚝뚝하고
무서울 것 없어 보이는
그런 남자는

어떤 섹스를 할까?

똑바로
안 해?

과격하려나

아니면 의외로…

39

아무튼!

그래서?

스윽…

그 한 달 사이에 좋은 소식 없었고?

좋은 소식?

내숭은~

쫘잭

히힝

알바하다가 만난 **썸남!**

그런 거 없냐구

하하…

아… 있을 리가 없잖아.

…너 설마

아직도 윤현우 좋아하는 거야?

허어…

너도 참 일편단심이다….

……

우린 일단 수업 갈게. 조금 있다 보자!

그래-

내 짝사랑 상대, 윤현우.

처음 그 애를 봤을 때

그런데.

주연이가
친구와 같이 갔던
클럽에서

윤현우가 남자와
스킨십을 하고
있었다는 것이다.

형!

나는 왜…

너를 잘 알지도
못하면서

이번에
복학했네요.

네가 같은 남자에게도
호감을 가질 수 있다는 사실에
일말의 기대를 하게 되어버리는 걸까.

아, 응.

잘 지냈어?

오늘은 최근 들어 가장
화창한 날이었고

……

그럼요.
전 잘 지냈죠.

응,
그런 것 같네.

네 목소리도

하하, 그게
무슨 말이에요.

그러는 형은
어떻게
지냈는데요?

기분 좋게 웃을 때
입가를 가리는 습관도

나는…

오랜만에 보니 그게 더,
너무 좋아서

현우야

너…

사귀는 사람 있어?

XXXX원입니다!

…뭘
그리 웃어.

아.

죄송해요,
저도 모르게…

지잉이‧‧‧

여자 친구라도 생겼어?

왜.
좋은 일이라도
있으신가.

…그게요,

?

오늘
고백했거든요.

전혀
기분 나빠 하지도 않았고,
조금만 기다려달라고
하더라구요.

그래서

조금은 가망이
있는 게 아닐까.

그런 생각을
하게 되네요.

...헉!

너무 기분 좋아서
나도 모르게
말해버렸어

어차피 진짜
궁금해서 물어본 것도
아니었을 텐데!

......

아하.

...그렇군.

아니-

**손님이
뒤에 있는데**

51

앞에 사람이 이렇게 시간 끌어도 되는 거여?!

쿡쿡!

앗. 언제 뒤에 손님이… 다 됐어요 잠시만요!

아 청년은 가만히 있어봐!

이봐요 아저씨. 이게 상도덕이여?

씩 씩

키만 멀대같이 크면 다여? 유세 떠는 거냐고!

어?!

내가 매너라는 걸 가르쳐 줘야것어?!

어?!

……

…너 담배 피우니?

예? 저, 저요?

아니 지금 나와의 대화를 회피한 거여?!

아…

아뇨….

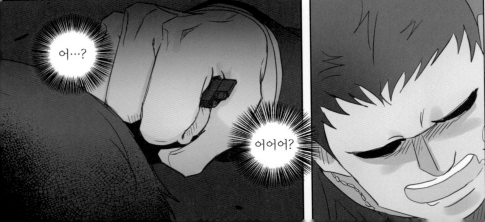

어...?

어어어?

Chapter

02

지금 이게…

무슨 짓이에요….

…아.

손에 뭘 쥐면 악력이 세져서 더 세게 칠 수 있어.

좋은 팁이니까 잘 기억해두도록.

안전교육이다. 안전교육

그걸 묻는 게 아니잖아요!

세게 안 쳤으니까 곧 일어날 거야.

톡

빡 소리가 났는데요?

쪽팔려서라도 알아서 기어 나갈 테니까 저건 신경 쓰지 마시고

또…

슥…

… 됐다.

그럼 수고.

딸랑~

……

……

이게 대체 무슨 일이야….

슬금…

슬금…

괜찮으세요?

와들짝

네, 네!!!!

크흠…
오늘은… 중얼중얼…

살 만한 게 없네…
다음에 와야것네…

중얼중얼…

아, 진짜네.
부끄러워한다.

안녕히 가세요~

위험한 사람들이
많이 오는 편의점이지만

덩치 큰 조폭에게
곧장 주먹을 휘두르다니,

그 남자만큼
종잡을 수 없는 사람도
참 드문 것 같다.

신경 거슬리지 않게
조심해라

오히려 조폭이 아닌
사람들한테는
얌전한 것 같은데…

신분증도 알아서
꼬박꼬박 보여주고.

응?

스윽…

아 맞다.

신분증 돌려주는 걸 깜빡했어.
정신없었지...

주민등록증

범건우(范建祐)

******_********

...범건우.

이름도 사진도 자세히 보는 건 처음이네.

머리 내리니까 완전히 다른 사람 같다.

실제로 봤을 때는 무섭다는 느낌이 강해서 몰랐는데 이렇게 보니까 멀끔하잖아...?

옛날 사진이라 그런가?

내린 머리의…

그 남자라…

…역시

우리 현우가 제일 잘 어울리는 것 같아.

넣어놨다가 다음에 줘야지.

최강 콩깍지

까톡

3:24

새로운 메시지!!!

아.

누가
이 새벽에
메시지를…

……

!

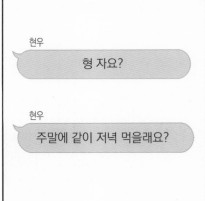

현우

형 자요?

현우

주말에 같이 저녁 먹을래요?

응!!!

입원이요?
친형이 어디
다치신 거예요?

형이 혼자
병원비를
부담해야 되는 건
아니잖아요?

아, 그건…

에이, 됐다.

형도 이런
어두운 얘기는
싫죠?

즐거운 얘기만
하고 살아야죠.

…응.

그렇지….

아. 혹시
생각해봤어?

내가 고백한 거 말이야.

뭘요?

아! 물론 부담 가지라고 하는 얘기는 아니고,

그냥 혹시나 해서 말 꺼낸 거니까…

아 그거 말인데요….

조금 복잡해졌어요.

휘청… 우욱…

형 집 2층이라고 했죠?

비틀…

…응.

비틀…

202호… 이 집 맞죠?

데려다주지 않아도 괜찮다니까.

몸 가누기도 힘들었잖아요.

그건… 그렇지만….

정말 의외다.

형이 그렇게 술을 잘 마시는지 몰랐어요.

이런 줄 알았으면 자주 부를걸 그랬네요.

앞으로도 나 부르지 마, 현우야.

너,

애인 생겼다며….

이게 뭐야…
바보 같네.

기다리라는 말에
혼자 들떠서…

하앗

내가 했던 말들은
신경 안 써도 돼.

진심이니까…

?

잘 사귀었으면
좋겠다.

이,

이게
무슨 짓이야…!!

달칵

?!

형…!

……?!

까, 깜짝이야….

씨팔, 깜짝은 무슨.

저기요. 뭘 보고 있어요? 계속 볼 거예요?

변태도 아니고.

누가 더 깜짝 놀랐겠어요? 집 앞에서 개새끼 두 마리가 빠구리를 뜨려고 하고 있는데,

바로 옆집에 살고 있었단 말야!?

쿠궁

키스 현장을 들킨 것보다 충격적인 사실

......

빠

안...

무, 무슨 짓이야! 저 사람이 무슨 잘못을 했다고…!

아니 이 사람이 진짜…

뭐하시는 거냐구ㅇ…

획!

미쳤어?!

아무리 취했다고 해도 너야말로 지금 뭐 하는 거야!

잘 들어 윤현우!

쾅ㅡ

억;

?

완전 미친 사람이라구!

빨리 도망치기나 해! 저 사람 성질 장난 아니니까! 계산대에서 안 비켰다는 이유로 2m는 되는 조폭 아저씨를 발로 차버리질 않나,

시비 조금 걸었다고 주먹으로 사람 머리 쳐서 날려버린 사람이야.

깐아ㅡ….

칭찬 고맙다.

헉! 드, 들렸어요?

그렇지… 아무래도.

그렇게 큰 소리로 속삭이다니

……

법치국가에서 그런 게 무서워요!?

이거 놔봐요, 형.

그런 위험한 사람이 형 옆집에 살다니,

더 그냥 넘어갈 수 없어요.

······

형! 비켜보라니까ㅇ···

···그냥 좀

스윽···

가달라고, 현우야.

지나친
참견이고,

지금은 네 얼굴
보기 정말 힘들어.

……

…알았어요.

타닥

타닥

탁

연락할게요.

저기…

새벽인데…
이 시간에 소란 피워서
죄송했습니다.
이젠 조용할 거예요.

하..하..

원래 이럴 일이 없는데
오늘은 어쩌다 보니…

너 울었니.

…예? 어어…
그러니까…

티… 나요?
엄청 조금
흘렸는데…

쓱 쓱

왜 울었는데.

남자한테 억지로
키스당해서?

…응? 왜
물어보는 거지…

76

아, 아니에요,
그렇다기보단…

정말 궁금해서
물으시는 건
아니죠?

하~

하

제가 워낙 상대가
궁금하지도 않은 걸
자꾸 떠벌려서…

아,
그냥…
제가, 저…

궁금해서
묻는 거야.

안 좋아
보이길래,
기분.

…아.
괜찮…아요….

그럼 됐고.

필요 이상으로
자세한 이야기는
남에게 짐만 지울
뿐이다.

그런데도

얼굴만 아는 사람의 사정을 물어봐준 이 사람이 신기하고, 고마운 마음이 들어서

저기요…!

?

혹시… 저녁 드셨어요?

나도 모르게 그를 붙잡아버렸다.

하지만

그럼…

씨X, 새벽 두 신데
저녁을 안 드셨겠니.

아; 아… 맞다.
새벽이었지….

허억

뭔 질문이야?
넌 안 먹었냐?

머, 먹었네요….

이 빡대가리가….

역시 무서워…!!!

둘어놀 수도 잇지°°°

뭐라도 좋으니
같이 시간 보내면서
친해지고 싶었는데…

힝…

……

왜요…?

왜긴.

이리 와봐.

까딱

어?

히이익!

히익은.

까악

뭘 이렇게 많이 처마셨어.

쿵

술 좀 하나 보다?

술 냄새가 여기까지 나잖아.

아, 죄, 죄송합니다….

죄송할 건 없고.

파 앗―

술. 더 마실 수 있겠냐.

……!

네…!!!

81

일하는 곳에
술 마시러 오니
감회가 새롭네요….

……

일단…
제 이름은
의준이에요!
여의준!

음…
술 마시자고
해주실 줄 몰랐어요.
신기해라~!

저는 술은
좋아하긴 하는데,
잘 마시지는
않거든요.

ㅎ예∞

아저씨는 거의 매일
술 사 가시잖아요.
엄청 좋아하시나 봐요.

재잘

재잘

이사는
언제 오신 거예요?
한 달 전까지는 분명
비어 있었는데!

재잘

조잘

제가 집에
붙어 있는 시간이
많이 없어서
몰랐던 건가…?

조잘

그리고 또…

……

아. 나만
말하고 있네.

그래도 뭐
나쁘진 않지만.
기분 전환도
되고…

…네, 맞아요.

물어보신다면 숨길 생각은 없지만…

너무 돌직구라 놀랐어….

나도 그냥 물어본 거야.

탁…

굳이 따지자면 이사랄 것도 아닌데…

온 지는 한 이 주 됐나.

나도 옆집에 사람 살고 있는 거 처음 알았다.

술은 좋아하는 건 아닌데 그냥 마셔.

…아. 이름은 범건우.

내가 하는 말 안 듣고 있는 줄 알았는데 다 듣긴 했구나….

그런데.

술 잘 마시지도 않는다는 놈이 오늘은 뭘 그렇게 많이 마셨어?

아. 그건…

효윽…

?

으윽…!

퐁

퐁

뭐야. 뭔데.

말하면 들어주실 거예요?

훌쩍…

……

해봐.

…원래 말 잘 들어주시는 타입이세요?

아니.

그런데 해도 돼요?

그러니까 하라고 할 때 얼른 하지?

혹시 괜히 했다가 화내실까 봐요….

당장 말 안 하면 화낸다.

네에….

그러니까 제가 그 애를 좋아하는데…

아! 일단 처음부터! 제가 그 애를 왜 좋아하게 된 거냐면요…

그 애가 처음 신입생으로 들어왔을 때였어요…

그런데 수업 중에…

치이익…

…그렇게 된 거죠오.

그러니까 요약을 하자며언… 분명 저는 차였는데…

집까지 데려다주고, 사사껀껀! 걱정해쥬고…

…키스까지 할려구 하구.

나한테 왜 그러는 건지 몰르겠어요….

후우

쮸욱…

너 오늘 몇 병 마셨니. 일어나. 갈 때 됐다.

아저씨이… 연애 많이 해보셨으면 조언 좀 해주시면 안 돼요?

진짜 현우가 왜 그러는지 궁금해서 그래요.

그냥 사람이
사람을 좋아하는 일일
뿐인데…

크게 다르지
않지 않을까요?

사내놈이랑
정분나본 적이
없어서
전혀 모르겠는데.

하…

그게
뭐예요….

그냥
좋아하다 보니…
그 애인 거니까….

……

…쪽팔려
뒤지겠지?

네에….
이래서 새벽이
무섭다니까….

예에…
술도….

술도.

아 맞다!

벌떡

집 가기 전에 아저씨가 놓고 가신 신분증 드릴게요.

추적

추척

타닥!

잠시만 기다려주세여 손님~

점장님~

의준 학생~ 잘 마셨어요?

네!! 오늘은 손님이 많이 없네요~?

점장님 제가요~

또 별것도 아닌데 오래 걸리겠구만.

으헤헤

헉!

어.

아… 어…….

그때 그…

……

맞은 덴
괜찮니.

!

예 형님!
멀쩡합니다!

아, 무, 물론 그때는
형님의 매운 주먹맛에
정신이 혼미했지만
지금은 괜

쩌렁쩌렁

그럼 저기 좀
치우고 가라.

아. 죄송해요.
쪼끔
오래 걸렸죠…

딸랑~

여기
신분증이요…

어?

아!
들어가십니까?
조심히
들어가십쇼!

그래. 너도
잘 들어가고.

옙! 저는
걱정
마십쇼!

…?

졸리다…

자지 마.

……

그럼 재밌는 얘기 해주세요…

취하더니 돌았나….

싫으시면 아무 얘기나요….

삐들…

삐들…

……

듣자 하니…

개강도 했는데 새벽 알바 안 힘드니.

평일 내내 나오잖아.

은근히… 해달라면
해준단 말이지….

쪼끔 힘들긴 한데…
시간 관리만
잘하면 괜찮아요~

그 편의점엔
무서운 분들이 많이
오셔서 그런지…
시급도 세거든요.

등록금에 쓰나?
아니면 용돈벌이?

등록금에도 쓰고~
자취방 월세에도 쓰고,
용돈으로도 쓰고요~

그런데 용돈으로는
많이 못 써요.

왜.

93

음…
왜냐면…

친형이…
병원에
있는데…

오랫동안
누워 있어야 해서,
수술비도 병원비도 많이
보태야 하는
상황이거든요.

친척 분들이
조금씩 도와주고는
계시지만
부족하더라구요.

……

정말
간절하다면…

남들처럼 알바도
두세 개씩 하고…

공부도 잘해서
장학금도
받아야 할 텐데.

체력도… 머리도…
그렇게 좋지 않은데
욕심만 어중간하게
있는 바람에

대학도
어중간하게 다니고…
돈도 어중간하게
벌고…   그런 와중에도
연애는 해보겠다고
혼자 설레발치고,
차여서 술 마시고.

한심해….

와….

우뚝…

또
헛소리하네.

팍!

으앗

남들처럼
해야 한다는 생각을
왜 해.

네가
할 수 있는 만큼
하는 거지.

삑

삑

삑

꾸욱

스륵

고생했네.

들어가.

난 통화 좀.

네….

Chapter

03

주연이
의준아! 태영이랑 나 오늘 지각 ㅠㅠ 수업 먼저 들어가!

핑...

알았어. 나도 오늘은 일찍 집에 갈 거니까 내일 보자!

월요일 아침

현우랑 같은 수업이 있는 날이다.

항상 현우가 나보다 뒤늦게 왔었으니까…

내가 현우보다 늦게 들어가서 다른 자리에 앉자.

마주치고 싶지_안뇨아….

형. 왜 안 들어가고 있어요? 같이 앉아요.

같이 앉아버렸다.

쿠쿵

왜 제일
피하고 싶은
오늘 같은 날
딱 걸리냐구…!

자- 오늘은
필기할 거 많으니까
정신 똑바로
차립시다.

중요한
부분입니다-

형. 잘
쉬었어요?

……

무시하고
필통이나
찾자!

…어라?

두고 왔나…?

퇴척

뒤척

형.

빌려줄까요?

······

빌리기 싫은데···!!

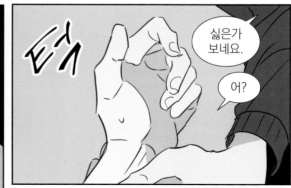

싫은가
보네요.

어?

자요.

그냥 가져요.

......

네가 무슨 생각을 하는지
도통 모르겠어.

왜 자꾸
이러는 거야.

네 애인에게도,
나한테도

…아무튼 고, 고마워.

바보야 -! 고맙다는 말을 왜 해!

얼마예요?

사천 원입니다.

네, 잠시만ㅇ…

이 카드로 같이 계산해주세요.

오늘은 친구분들 없어서 간단하게 때우시는 거예요?

맛있는 거 드시지.

……

왜 이렇게 따라다녀. 일부러 피하는 거 안 보여?

따라다니면 안 돼요?

응. 따라다니지 마.

후다닥....!

......

슉!

후….

이제
안 따라오겠지…?

정말 저랑
대화 안 할 거예요?

까마짝

히익!

…가까워!

형.

얼굴 터지겠어요.

두근

두근

우으…!!

두근

두근

두근

저 너무 미워하지 마세요.

해서는 안 될 실수를 했지만 형이 너무 좋아서 그랬던 거니까

용서해주면 안 될까요?

…그만 좀 해.

좋아한다는 말로 가지고 노니까 재밌는 모양인데, 나는 너한테 고백까지 했었어.

그런 상황에서 지금 네가 이러는 거, 나보다도 네 애인한테 못할 짓이야.

알고 있어?

…그치만 저 정말 형 좋아해요.

지금 나한테 그런 말 해봤자…!

정확히 말하면 형'도' 좋아해요.

동시에 두 사람을 좋아하면…

안 되는 거예요?

…뭐?

머엉...

알바! 뭔 일 있어?
오늘은 왠지
기운이 없어 보이는데?

아뇨....

머엉...

계산이
틀린 것 같은데?

머엉...

아...
잠시만요....

이게
미쳤나....

퍼억

아.

하아 !

저거 말고
말XX로 달라니까
X발!

장난하세요?
왜 이걸 한 번에
못 알아들으시냐고.

죄, 죄송합니다….
빨리 드릴게요….

정신…

안 차려?

짜악!

빨리빨리 합시다,
예?

혁..

예…
죄송합니다….

허어..

정말
죄송합니다….

죄송합니다….

돌이켜 보면 오늘은 꽤 엉망인 날이었던 것 같다.

왜냐면,

의, 의준 학생 볼이… 누군지 기억해요? 역시 신고를 해야…

터벅

터벅

입 안쪽이 아파…

괜찮아요.

저 가볼게요, 점장님. 들어가세요~

아침에는 꼭 보던 친구들 얼굴도 못 봤고

터벅

억지로 피하려던 현우도 노력이 무색하게 바로 마주쳐버렸고,

평소 잘 챙기고 다녔던 필통도 하필이면 오늘 가져오지 않았고,

좋아하던 상대에게 나와 애인, 둘 다 좋아하면 안 되냐는 이상한 질문이나 듣고

그것 때문에 정신 못 차리다 손님한테 맞고.

…그리고

어.

여의준이.

벌써 알바 끝날 시간인가?

하루도 빠짐없이 왔었으면서, 오늘은 오지 않은 아저씨까지.

…?

…너 얼굴…

아저씨…

전부

엉망이야….

오늘은 왜
편의점
안 오셨어요?

어라, 왜
눈물이 나지…
죄, 죄송해요….

?

?

어제부터
자꾸 아저씨한테
민폐를…

넌…
가고.

아, 예.
알겠습니다.

넌 여기 좀 앉아봐.

윽… 흑, 싫어요….

들어갈래요….

훌쩍

좋은 말로 할 때…

!

흠칫

……

아니, 이게 아니라…

하아..

살짝...

......

...잠깐이면 돼.

시간 좀 내라.

앉고 나서도 눈물은
멈추지 않았다.

아저씨가
무슨 생각을 하고 있는지,
어떤 표정을 짓고 있는지
우느라 신경 쓸 겨를이
없었지만

내가 진정될 때까지
기다려주기라도 하듯
아무 말도 하지 않았다.

그게 조금은
고마웠다.

후우….

쿵

쿨쩍…

좀 진정됐니.

네에….

……

정말 내가
보고 싶었어서
그렇게 서럽게 울지는
않았을 테고.

무슨
일이야.

……

…말하기 싫으면
말고.

꼼지락

…현우가요,

애인도 좋아하고,
저도 좋아한대요.

둘 다 좋아하면
안 되는 거냐고…

…?

알아요,
무시해야 하는 거.

그 애 애인한테도
몹쓸 짓이란 거 아니까
더더욱 멀리하고
싶었어요.

그래서 일부러
나쁘게도 말해보고,
피하려고 노력도
했는데,

그랬는데…

그 애만 보면
나도 모르게
두근거리니까…

훌쩍…

제가 너무
바보 같고
제일 나쁜 놈 같다는
생각이 들었어요.

그런 데다 오늘은
너무 안 좋은 일들만
일어나서,

괜히 더
서러워서…

윽…

훗…
웃….

흐웃…

……

그럼 그냥…

꽉

잊을 거예요!

⋯⋯

그 애보다 더
잘생기고…

키도 더
훤칠하게
크고

몸도
좋고…

이, 이왕이면
거기도 큰!!!

그런 사람 만나서
잊을 거라구요…!

날 얼마나 봤다고
못 하는 소리가 없네.

그치만….

아저씨는 제가 무슨
이상한 말을 해도,

그냥 개의치 않고
들어주시는 것
같아서….

저도 모르게…

……

죄송해요… 역시
불편하셨겠죠….

…아냐. 재밌네.
계속해봐.

하 하

음…
이제 더 할 말도
없어요.

곧 괜찮아지겠죠.

이런 쓸데없는
감정…

빨리
끝내버려야
하니까…

요…?

깜빡…

…아저씨?

……

넌 어떻게
눈물이 멈추질
않아.

저도
멈추고 싶은데
그게 잘···

앗

그래도 이제
많이 안 아파요.

헤헤···

아프니.

볼이 조금
부었나 봐요

쓰담···

만지작···

만지작…

오래…
만지시네….

괜히
어색해….

만지작…

그치만

따듯하다….

스윽

흣….

기분 좋아….

!

아…, 죄, 죄송합니다…

사과는 내가 해야지.

왜 가만히 있었어.

기, 기분
좋아서…

저도
모르게요….

……

여의준.

시험해볼까.

…네?

뭐, 뭘요?

내 얼굴이
네 마음에 드는지는
모르겠으니
그건 넘어가고

!?

몸 좋고

좃 큰 놈이랑
붙어먹으면

정말 그 놈을
잊을 수 있을지.

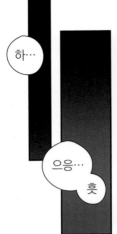

서 있어…

이런
반응이라니

마치

날 좋아하기라도
하는 것처럼…

하아…

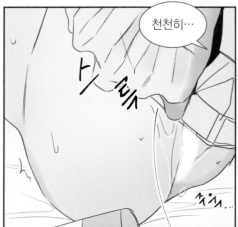

응?

......!

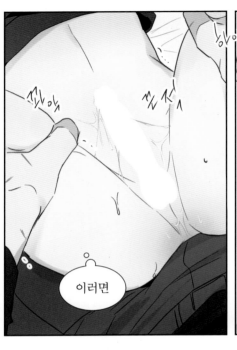

이러면

너무
적나라하잖아…

이미 질질
흘리고 있어서
필요할지는
모르겠지만.

아윽!

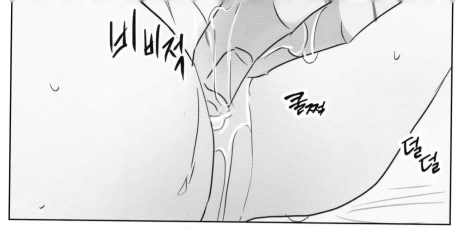

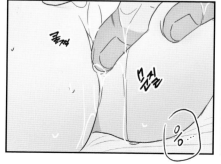

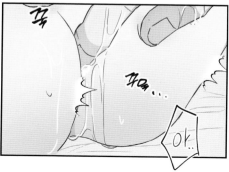

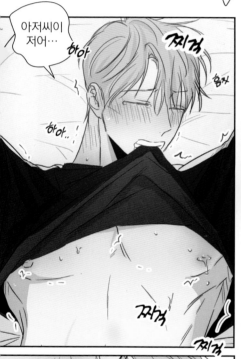

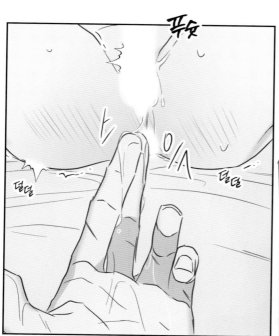

Chapter

04

듣자 하니
아무리 남자라도
뒤로만 가는 건 꽤
힘들다던데

얼마나 해댔으면
손으로 조금 쑤셔줬다고
자지러지는 건지.

그럼

안 봐줘도
되겠지.

치익

밝힐 줄은 알았지만
이 정도일 줄은….

…자,
잠깐…,

아무리 그래도
그런 건…!

'그런 거'라니.
섭하네.

151

하아

움찔

움찔.

좋아…♡

읏…
조아요….

하아..

부빗…

하..
계속…
해주세요….

아…♥

응…♥

……하.

옹지.

퍼억

흐으!

잘하네.

씨팔…

응♥

아주… 좋아
뒈지려고 하네.

그럼 여긴?

스윽

쮸윽

흐윽!

움찔.

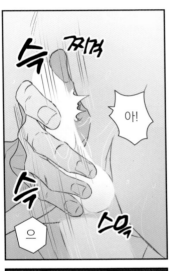

슥 쩌걱

아!

슥

으

스윽

빙글…

움찔.

흐윽…!

163

하아…

계속…

안에서
움직이고 있어….

훗….

하아…♥

하아

이렇게
만족스러운
섹스라니…

처음이야….

！

저,

저어…!

?

덥선

…저,
더 하고
싶으시면…

…한 번 더…
하셔도…

되… 는데…

찌릿

핫

역시 너무
변태 같았나 봐!

속 보였겠지…!

겨우 한 번?

?

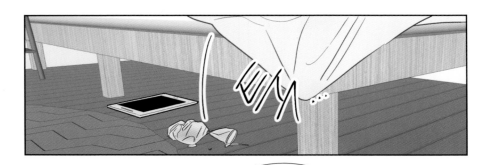

짹…

짹…

퍼억

응…!

아…
흐윽!

푸윽

푹

응!
아!

아아…!

퍼

퍼

퍼억

푹

하아…!

찌걱

삐걱

웃…!

퍼

응!
하윽!

퍼억

퍼

찌걱

169

꿈뻑

꿈뻑

꿈뻑

……

부스스…

잠들었었나…?

부시럭…

어.

스윽…

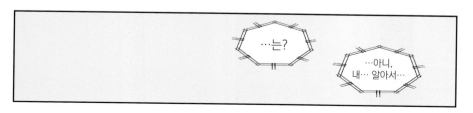

통화하고
계셨네….

— …

— ….

— .

앗.
저렇게 웃는 거
처음 본다.

누구랑
통화하길래…?

그러고 보니

흠...

만날 때마다
핸드폰을 붙잡고
있었던 것 같아.

음...

음...

혹시

대부분 험한 말들 뿐이었잖아….

뭐X고 싶어? 라든가…

후려갈겨줘야 정신을 차리니? 라든가…

하하…

거의 명령조였고.

역시… 그냥 조폭에 관련된 일이려나…

어?

으악! 어떡해!

벌써 네 시잖아!!!

이럴 때가 아니었어…!!

휘청

삐끗

마지막 수업이라도 출석해야 해…!

탁...

?

스윽

텅...

......

스윽

···나 참.

집주인이
먼저 나가도 돼?

훔쳐 갈 거 없다고
아주 티를 내는군.

─…

─…

아야야…

허리도 뻐근하고…

으윽…

끄응…

엉덩이가 아파서 제대로 앉지도 못하겠어….

여의준. 왜 그래. 괜찮아?

아, 으응…

그냥 컨디션이 좀 안 좋네…

웬일로 늦잠을 자더니…

어제 뭘 했길래 이렇게 피곤해 하는 거야?

어??

화들짝

횡설수설

아, 아무것도 안 했어…! 평소처럼 알바만 하고 집에 갔는걸!

그래…?

그, 그냥 오늘따라 잠이 안 와서…!

허둥지둥

의준아.

너 목에 뭐
물린 것 같은데?

응?
목에…?

두둥

뭐,

뭘 이렇게 많이
물어댄 거야…!!

……

허겁지겁 나오느라 정신 없어서 잊고 있었는데

떠올라버렸어….

그치만…

옆집 사는 사람이랑 섹스를 하다니…!!

아, 아씨…

도대체 무슨 생각이었던 거야…!

그때는…

다른 생각을

나를 보고
흥분하는 표정
이라든가,

귓가에 내뱉는
낮은 숨소리와
목소리에

휩쓸려버려서….

아.

의준아.

떠올리기만
했을 뿐인데
서버렸어…

윽…

우…

……

쩌쩌

쩌쩌

웃…

타닥

흡

타닥

팍

윽…

아저씨 손은
더 크고 굵었지….

타닥

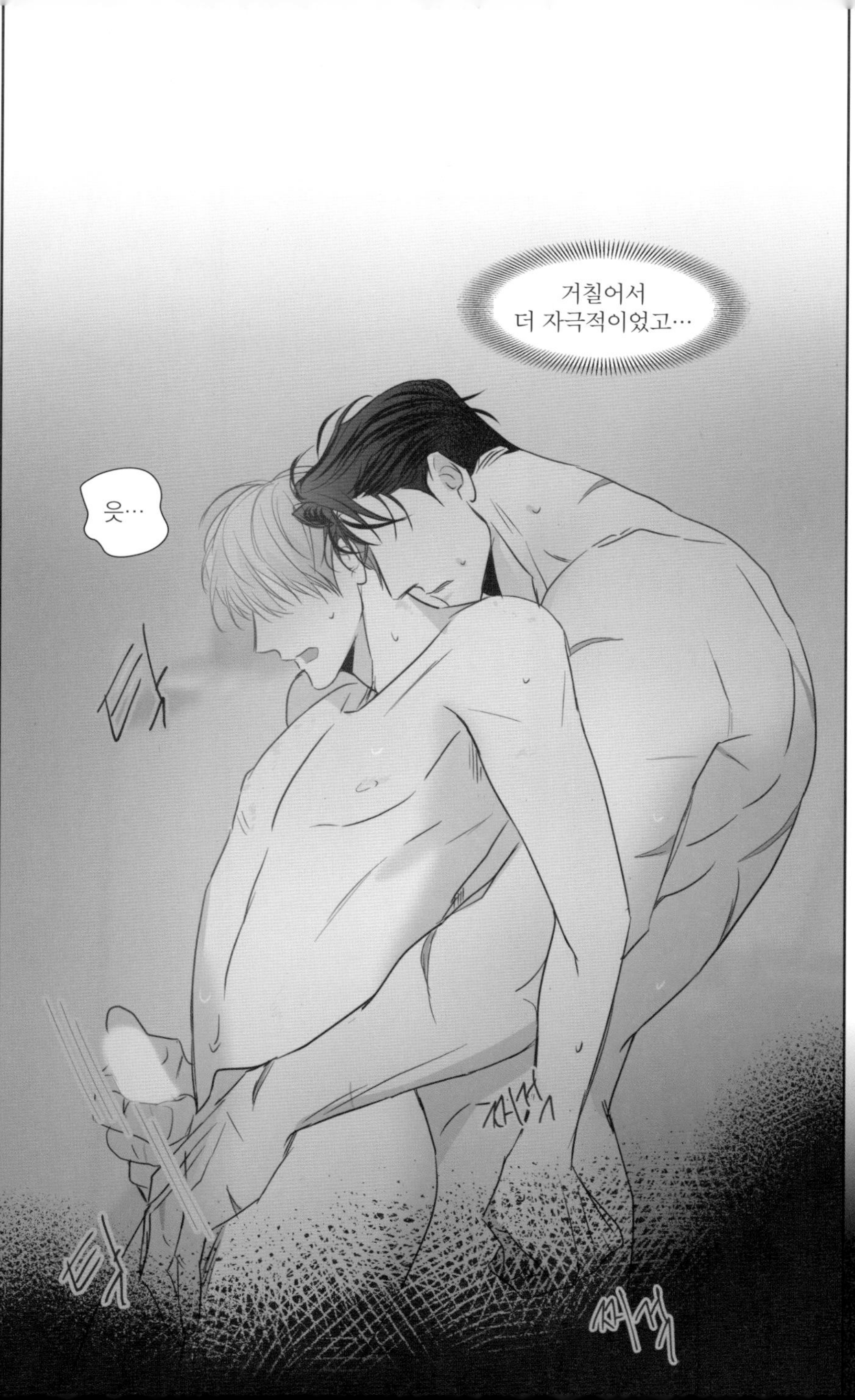
거칠어서
더 자극적이었고…
읏…

대타가 없어서 알바를 뺄 수 없었어…

주던 거로 줘.

적어도 오늘만큼은 피하고 싶었는데…!!

ㅇ, 예에….

아저씨는…

아무렇지 않아 보이네.

하 암...

아저씨한테는 그다지
큰일이 아닌 건가?

그럼 나도
아무렇지 않은 척...

아.

하면 되나?

얼굴 좀 보자.

!

안 떨어지고
잘 있네

아….

네.
…감사해요.

…신경 써
주셔서요.

……

학교 수업은.

잘 갔고?

……

아저씨는…
괜찮으세요?

뭐가.

어제 일이요.

저는… 아저씨를
어떻게 대하면 좋을지
아직 잘 모르겠어요.

어색하고
불편하니까….

……

나는…

한 번 잤다고
호들갑 떨 놈도
못 되고,
그럴 나이도 아냐.

뭐가
걱정인데?

어…

넌 그냥
하던대로 해.

……

삑…

삑…

계산
다 됐어요.

카드
돌려드릴게요.

……

물론…

너도 좋고
나도 좋다면,

언젠가 또
해볼 수는
있겠지만….

그, 게
무슨…

내일 일정이
어떻게 되나?

네?

…어,
그러니까…

그, 그게…

그건 조금….

콰앙

Chapter

05

이것도 상처라고 나 보란 듯이 붙이고 왔어?

......

보는 사람 기분이 더럽잖아!

죄, 죄송해요….

허어, 이것 보게?

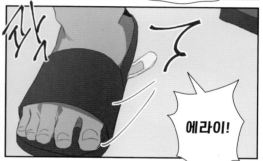

에라이!

기분 더러워서 오늘은 술 좀 진탕 마셔야겠다!

아…

계산해.

…네.

이렇게 많이…

왠지 불안하다….

다 해서…
십삼만이천 o…

삑…

삑…

알바야.

…예?

내가 오늘 너 때문에
진짜 기분이 나쁘니까,

네가 이거 다
사줘야겠다.

안 그래?

아, 그,

아무리 그래도
돈은 주셔야…

그건 네가
알아서 하고.

형님들은
이만 간다!

……

!

아, 그.
…죄, 죄송해요.

반창고
떼겠다고 해서요.

신경 써서
붙여주신건데
저, 저도 모르게….

그, 그치만
저도 어쩔 수 없...

딸랑~

어?

텅...

...뭐야.

그치만… 나 같은
평범한 사람이라면
누구라도
그랬을 거고.

애초에…
치고받는 건
조폭들이나
하는 일 아냐?

이게…
말도 안 하고
나갈 정도로
화낼 일인가?

다들…

순 제멋대로야….

저벅

어…?

저벅

왜, 왜 돌아오셨….

콰앙!

으아악!

대충 맞을걸.
세봐.

……

예?

좀 한 번에
알아들으면
안 되나?

아, 그, 네…,
죄, 죄송…

이거 설마…

떡 석

아까 그 조폭들한테서 뺏어온 건가…?

저어,

삼만 원이나 더 많은데요….

너 가져.

네!?

그게 무슨…. 그럴 순 없어요.

……

어른한테 용돈 안 받아봤어?

그런 문제가 아니잖아요…!

이거 아저씨 돈도 아닐 것 같고….

씨팔, 내가 뺏었으면 내 돈이지.

예…?

말문이 막힘

아, 아무튼…
정말 감사하지만…

이런 돈은
가지고 있기 좀
그래요.

……

…그럼 그걸로
밥이나 사라.

…밥이요?

그,러니까…
같이… 식사하자는
말씀이세요?

그래.

나, 네가 고맙다고
할 만한 일
한 것 같은데.

사례는 해야지?

아,

알겠어요….

드시고 싶은 거…
있으세요?

아무거나.

뭐든 상관없어.

뭐든 상관없는 게
제일 어려운 거라구요….

툭…

툭…

당황해서
감사 인사도 제대로
못 했네….

고마운 일이었으니까,
아저씨 말대로
사례하는 게 맞지.

이왕이면…

좋아하는 거
사드리고 싶은데.

뭐가
좋을까….

ㅊ이이잉

010-3725-XXXX

CALL

?

음…
아직요.

저보다 윗사람한테
뭔가 사드리려고 하니까
꽤 어렵네요….

역시
고기 같은 게
무난할까요…?

허허

뭐, 그렇겠지.

반응이
심드렁한데…

…혹시
해산물은요?

그것도 뭐.

…그럼 막, 굴이나…
피망이나 오이,
그런 것들도
괜찮으세요?

어어.

무의식적으로…
끊어버렸다.

어, 어, 어떡하지…
화낼 것 같은데…

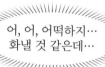

그치만! 가, 갑자기!!
누가 그런 말을
입 밖으로 꺼내냐고…!

피링~

……

날씨 좋다….

응?

와아…
폐차해야 될 것
같은데.

되게 험하게
운전하시나 보다….

아저씨는 아직
안 나오셨나…?
십 분 남았으니까…

거기!

…예? 저요?

혹시
건우 형님이랑
만나기로 한 놈이
그쪽?

아…? 그,
그런데요…?

허, 형님?

**차가 누추해서
미안한데,
일단 타!**

어어…….

씨발, 빨리 타래도!
이래 봐도 굴러는 가니까!

네에…!!

안절부절…

저어…

왜…그렇게
빤히 보세요…?

빤…

제 얼굴에
뭐 묻었…어요?

우리 형님,
역시 얼굴 존나게
밝히신다 싶어서.

너는 어딜 가든
공치진 않겠다.

형님이 직접 애를
데려오신 건 처음 보네.
이제 안 하신다고
들었는데.

원래는
어디서 일했냐?
클럽? 룸?

……?

얼마나 떼주신대냐?
반질반질하니
콜 꽤나 받겠다.

인사 안 하니.

허억!

형님! 어서오십쇼! 죄송합니다!

너 이 새끼. 차가 이게 뭐야.

아, 그, 그게…

대답.

현 상황에서 몰래 가지고 나올 수 있는 차가 이것밖에 없었습니다!!!

죄송합니다!!

씨X…

죄송합니다… 하지만 진짜 최선이었습니다….

두근

쿵광

쿵쿵

두근

나… 팔려 가는 거 아니지…?!

두근

두근

가고 싶은 데는.
고르셨나?

아, 네…
그, 좀 가야 되긴
하는데요….

괜찮아.

칫이익

?

어딘데.
봐봐.

아, 여긴데요…
주소가…

아아, 거기.

…??

그…
참 예쁘게
생겼습니다.

어디서 저런 놈을 찾으셨는지,
말로만 들었는데
안목이 정말 좋으십니다!

고르긴 뭘 골라.

으악

꽈악

그리고

사내새끼한테
예쁘다가 뭐야.
잘생겼다고 해야지.

!

괘, 괜찮아요…!

**예쁘다고
해주셔도 돼요…!!**

……

마, 말하고 나니까
되게 이상하다….

으아아악…

지랄….

불편하신가…?
이 정도면
탈 만한 것 같은데….

다음엔 좋은 차로
가져오라고 할게.

다음이라니…

아, 아뇨. 전 정말
괜찮은데요…?

없는 것보다
훨씬 낫죠!

…그럼 뭘 그렇게
쩔쩔매고 있는데.

불편한 거
아냐?

아,

어어어….

…대답.

…그, 그냥…

아까… 멱살 잡으실 때…
조금 놀라서요….

불편한 건 아니고요…
그냥 진짜 놀라서 그랬…

이런 X-
저 새끼가…!

끼이익─!

어?

부릉...

괘,
괜찮으십니까
형님?

죄, 죄송합니다···!

앞에 어떤 놈이
끼어드는 바람에···.

…저기야.

네 형님!

천천히 좀
가자….

…네, 넵!
죄, 죄송합니다…!

도착한 음식점은,

닫혀 있었다.

일주일간
휴가를 갑니다^^

긴급연락처
010-XXXX-XXXX

죄송합니다….

좀 제대로
알아보고 올 걸…!

샤랑~

사
라
라.

뚜
둥

이런 곳에서
어떻게 밥을 사-!!

저는 알바로 먹고사는
대학생이라구요…!!

드르륵

아니
사장님!

서울엔 언제
다시 오셨답니까?
이러다 얼굴
잊어버리겠어요!

섭할 뻔했네.

하하.

주문은 이번에도
제가 알아서 할까요?

두 분 맞으시죠?

메뉴판을 못 받아서 그런데…

하, 한 사람 당… 어, 얼마정도 하나요…?

저, 저어…

아, 가격이요? 그러니까….

됐어.

메뉴는 최사장이 알아서 해 주시고. 나가봐요.

아. 넵 알겠습니다. 그럼 준비하겠습니다.

……

사 주시는 거… 예요?

싫어?

그럼 얻어먹을까.

아, 아뇨….

핫…

…감사합니다. 잘 먹을게요.

다음에 사.

다음…

네. 그럴게요. 꼭…!

……

어색해…

아무 말이라도 할까…?

……

……

……

……

끄응…

이런 데
처음 와 보니.

아…
처음은 아니에요.

그래봤자
두 번째지만요.

음… 몇 년 전
얘기지만,

형이 첫 월급 탔다고
이런 곳에
데려와준 적 있었어요.

비싼 데 간다고 해서
괜히 옷도 멋있는 거 입고,
신발도 제일 좋은 거 신고
그랬었는데…

형, 역시
넥타이는 라하지…?

어!?
하려고 했는데?

둘 다 긴장해서 주문도 잘 못 했던 기억이 있어요.

무, 무슨 음식인지 하나도 모르겠어···!

나도···!

······

병실에 누워 있던 그 친형?

···네.

사고?

···네, 뭐··· 그렇죠.

어쩌다.

저,

역시…
이런 주제는
조금….

분위기만
안 좋아지지
않을까요?

하하….

…허.

저번에는 알아서
술술 불더니.

그러게…
그땐
왜 그랬지?

역시 자세한
얘기를 하는 건…
싫어서요.

이랬다저랬다
죄송해요.

꾸욱…

상대방의 입장에서
반응이 곤란할 법한 이야기는
하기가 어렵다.

특히 가족에 대한 이야기는.

아…
미안해….

괜히 자세히
물어봤네.

미안해…

어떡해
정말 힘들겠다.

…아니야.

너희가 왜
미안해 해.

이제는 정말
괜찮아져서
말할 수도
있었던 건데….

다른
사람들에게는
괜찮을 수 없는
일이 되기도
하는구나.

그냥…
털어놓듯이
애기하고 싶을 때가
있는데

역시 행복하지도 않은
남의 가정사를 듣는 건
난처하겠지….

내 생각이
짧았어.

더는 불행하다거나,
매일이 슬프다거나
하지 않는데도

남들은 그렇게
생각할 테니까.

다른 얘기해요 우리…

…무슨 얘기.

……

군대 얘기?

지랄….

255

…갔다 오긴 했나 보네.

무슨 의미예요….

반질반질 하길래.

…;

됐고, 대학 얘기나 해 봐.

…아.

제 친구들 사진 보여드릴까요?

......

까딱

여기
보시면요…

?

이쁘고
잘생겼죠?

둘이 커플인데,
여자애는 저랑
초등학교 때부터
친구였어요.

학교 합격 발표 떴을 때
둘이 신나서 술 엄청 마시고~

다른 과긴 한데,
교양수업 같이 듣기도 하고.
거의 매일 보거든요.

그날 저희 둘이
밤새 노래방에서…

……

왜 그렇게…
빤히 보세요?

그냥.

짧은 머리도
이쁘겠다 싶어서.

…어?

음식 나왔습니다~
들어갈게요~

아, 사장님.
이게 요번에 진짜
귀하게 구한 건데…
맛 좀 보시라고
가져와 봤습니다.

뭔데요.

뭐…

위험한
편의점.

위험한
편의점

초판 1쇄 인쇄 2022년 10월 31일
초판 1쇄 발행 2022년 11월 23일

글·그림 945
펴낸이 정은선

책임편집 이은지
편집 김영훈, 최민유, 허유민
마케팅 강효경, 왕인정, 이선행
본문 디자인 (주)디자인프린웍스
표지 디자인 URO DESIGN

펴낸곳 (주)오렌지디
출판등록 제2020-000013호
주소 서울특별시 강남구 선릉로 428
전화 02-6196-0380 **팩스** 02-6499-0323

ISBN 979-11-92674-05-6 07810
　　　979-11-92674-04-9 (세트)

© 945

www.oranged.co.kr